La poule et l'œuf

Camilla de la Bédoyère

Texte français de Claudine Azoulay

Les mots en caractères **gras** sont expliqués dans le glossaire de la page 22.

Catalogage avant publication de Bibliothèque et Archives Canada

De la Bédoyère, Camilla
La poule et l'oeuf / Camilla de la Bédoyère ;
texte français de Claudine Azoulay.

(Cycle de vie)
Traduction de: Egg to chicken.
Pour les 5-9 ans.
ISBN 978-1-4431-0108-0

1. Poulets--Cycles biologiques--Ouvrages pour la jeunesse.
I. Azoulay, Claudine II. Titre. III. Collection: Cycle de vie (Toronto, Ont.)

SF487.5.D4514 2010   j636.5   C2009-904875-2

Édition publiée par les Éditions Scholastic,
604, rue King Ouest, Toronto (Ontario) M5V 1E1.

5 4 3 2 1   Imprimé en Chine CP141   10 11 12 13 14

Auteure : Camilla de la Bédoyère
Conceptrice graphique et recherchiste d'images : Melissa Alaverdy
Directrice artistique : Zeta Davies

Références photographiques
Légende : h = haut, b = bas, c = centre, g = gauche,
           d = droite, PC = page couverture

Corbis 1h Holger Winkler/AB/zefa, 1b Craig Holmes/Loop Images, 5h Martin Harvey,
6-7 Craig Holmes/Loop Images, 11b Holger Winkler/AB/zefa

Getty Images 10-11 Georgette Douwma, 11h Bob Elsdale, 12 Dorling Kindersley,
15b Tara Moore, 17h Jane Burton, 17b GK Hart/Vikki Hart, 18 Klaus Nigge

Photolibrary Group 9h John Cancalosi, 13 Harald Lange, 14 Andre Maslennikov,
20-21 Harald Lange

Shutterstock 2h iofoto, 4b Dee Hunter, 4-5 Valio, 5b JanJar, 6b JanJar, 6h Gelpi,
8 Craig Hanson, 9b Babusi Octavian Florentin, 15h AGphotographer, 16b Saied Shahin
Kiya, 16c Saied Shahin Kiya, 16h Saied Shahin Kiya, 19 Babusi Octavian Florentin,
20g Jozsef Szasz-Fabian, 22-23 Vasyl Helevachuk, 24 Saied Shahin Kiya

Table des matières

Qu'est-ce qu'une poule?

Une poule est une espèce d'oiseau. Tous les oiseaux ont des plumes et des ailes, et ils pondent tous des œufs.

Les plumes aident les oiseaux à voler. Elles leur tiennent chaud et les gardent au sec. Voler demande beaucoup d'énergie, alors les oiseaux doivent manger souvent.

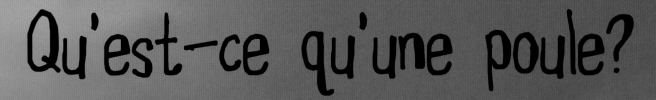

▲ Les oiseaux ont une bouche appelée bec, mais ils n'ont pas de dents.

▲ Les mouettes étendent leurs ailes et leur queue munie de grandes plumes quand elles volent.

Certains oiseaux ne peuvent pas voler. Les autruches ont des ailes, mais elles sont incapables de voler. Ce sont les oiseaux les plus grands au monde. Certaines mesurent plus de 2 mètres de haut.

Œuf d'autruche

▲ Les plumes de l'autruche sont longues, douces et ébouriffées.

▶ Un œuf d'autruche pèse autant que 24 œufs de poule.

Œuf de poule

5

L'histoire d'une poule

La poule est l'espèce d'oiseau la plus nombreuse au monde.

La femelle s'appelle une poule, le mâle un coq et le bébé un poussin.

Le poussin commence sa vie sous la forme d'un œuf. La période durant laquelle un œuf se transforme en poule adulte s'appelle le **cycle de vie**.

▶ **Le cycle de vie d'un poussin comporte trois stades.**

Poussin

2

1

Œuf

3

Poule adulte

Faire un nid

Les poules commencent à pondre des œufs quand elles ont environ six mois. Elles ont d'abord besoin d'un **nid**.

La plupart des oiseaux font leur nid dans les arbres. Ils utilisent des brindilles, de l'herbe ou de la mousse.

◀ Les balbuzards construisent d'énormes nids de brindilles dans les arbres et sur les toits.

▶ **Les colibris construisent les nids les plus petits.**

Les poules font leur nid sur le sol, dans un endroit sec et calme. Elles utilisent de la paille ou de l'herbe.

▶ Les poules construisent leur nid dans les granges ou les poulaillers, où elles sont au chaud et en sécurité.

Les œufs sont pondus

Généralement, une poule pond un œuf par jour. Les œufs ne deviendront des poussins que si la poule s'est **accouplée** avec un coq.

Quand un coq veut s'accoupler, il chante fort. Pendant l'accouplement, le coq **féconde** les œufs de la poule.

◀ Un coq chante aussi pour dire aux autres mâles de rester à l'écart.

▶ Les coqs sont plus gros que les poules, et les plumes de leur queue sont plus longues.

▶ La poule commence à pondre ses œufs un jour après l'accouplement.

Seuls les œufs fécondés peuvent produire des poussins. Un groupe d'œufs s'appelle une couvée.

Couver les œufs

Une fois que la poule a pondu tous ses œufs dans son nid, elle les couvre de son corps pour les garder au chaud. **Couver les œufs est un travail important.**

La poule doit s'accroupir sur sa couvée pour que les poussins se développent. Si les œufs sont au froid, les poussins arrêteront de se développer.

▶ **Une poule couveuse étale ses plumes par-dessus ses œufs.**

▶ Un pondoir constitue un lieu sûr et chaud pour les poules et leurs œufs.

De temps en temps, la poule retourne ses œufs pour les garder entièrement chauds.

13

À l'intérieur de l'œuf

Tous les œufs d'oiseaux sont protégés par une **coquille** dure. À l'intérieur de chaque œuf fécondé, un petit poussin se développe.

Vitellus

Poussin

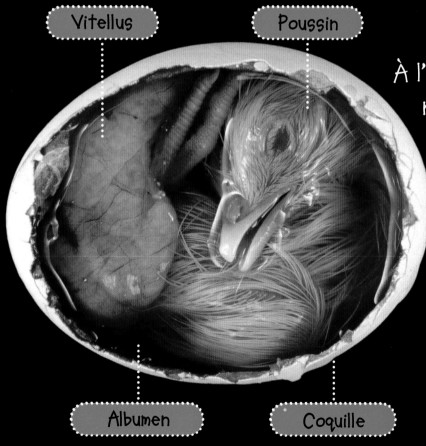

À l'intérieur de l'œuf, le poussin se nourrit grâce au jaune ou **vitellus** et au blanc ou **albumen** de l'œuf. L'albumen est le liquide clair que nous appelons le blanc de l'œuf. Il protège le poussin et lui tient chaud.

Albumen

Coquille

◀ **Les poussins ont besoin d'air pour respirer. Le bout le plus large de l'œuf renferme une chambre à air.**

Les poules pondent des œufs même
sans s'être accouplées. Les œufs
que nous mangeons n'ont
pas été fécondés.
Il n'y a pas
de poussin
à l'intérieur.

▲ La plupart des
coquilles d'œufs
de poule sont
brunes, blanches
ou crème.

▶ Les œufs de
poule sont faciles à
cuisiner et délicieux
au goût.

Les œufs éclosent

Après s'être développés pendant environ trois semaines, les poussins sont prêts à sortir de leur œuf. C'est l'**éclosion**.

Sur le dessus de son bec, chaque poussin possède une bosse dure appelée diamant.

▲ Il pousse avec son corps et sépare la coquille en deux.

◀ Il taille la coquille en cercle.

◀ Le poussin perce un trou dans la coquille avec son diamant.

4

◀ **Ensuite il sort de la coquille.**

Le poussin tout juste éclos piaule fort. Il est fatigué et ses plumes sont mouillées. Une fois sèches, les plumes s'ébouriffent.

5

▶ **En peu de temps, tous les poussins sont éclos!**

La vie d'un poussin

La poule prend soin des poussins qui viennent d'éclore. Elle les garde au chaud sous ses ailes.

À deux semaines seulement, les poussins peuvent déjà quitter la grange ou le poulailler et explorer le monde extérieur.

◄ Les poussins qui viennent d'éclore restent auprès de leur mère.

Les poussins et les poules aiment gratter la terre, à la recherche de vers ou d'insectes à manger.

▶ Les poules n'ont pas de dents. Elles sont incapables de mâcher leur nourriture et l'avalent donc entière.

Grandir et changer

Les poussins deviennent des adultes en quelques mois seulement. Des plumes luisantes remplacent leur doux duvet.

Une **crête** rouge et charnue pousse sur le dessus de la tête des poussins. Cette crête aide à les garder au frais.

▲ Entre 3 et 10 mois, le petit de la poule s'appelle un poulet.

Bientôt, les jeunes poules commenceront à pondre des œufs. Quand une poule s'accouple, un nouveau cycle de vie commence.

▼ Les coqs ont des plumes colorées et une crête plus grosse que celle des poules.

Crête

Glossaire

Albumen

Blanc de l'œuf.

Coquille

Partie externe dure d'un œuf. Elle protège le poussin présent à l'intérieur.

Couver

Quand une poule s'installe sur ses œufs pour les garder au chaud.

Crête

Peau rouge et molle, située sur le dessus de la tête d'une poule ou d'un coq.

Cycle de vie

Période durant laquelle un animal se transforme de la naissance à la mort et produit des petits.

Éclosion

Quand un poussin sort de son œuf après en avoir brisé la coquille.

Féconder

Quand une cellule spéciale issue d'un mâle se joint à l'œuf d'une femelle pour former un nouvel être vivant.

Nid

Abri que les oiseaux construisent en lieu sûr quand ils veulent pondre des œufs.

S'accoupler

Quand un mâle et une femelle s'unissent pour produire des petits.

Vitellus

Partie jaune d'un œuf servant de nourriture au poussin qui se trouve à l'intérieur.

Index

Notes aux parents et aux enseignants

🐔 Feuilletez le livre et parlez des illustrations. Lisez les légendes et posez des questions sur des éléments qui apparaissent sur les photos et qui ne sont pas mentionnés dans le texte.

🐔 Découvrez-en davantage sur les oiseaux en les observant dans la nature. Aidez les enfants à utiliser un manuel pour identifier différents oiseaux. Rappelez-leur de ne jamais s'approcher des nids et des œufs et de ne pas les déranger.

🐔 La science à la maison. Réalisez des expériences simples à l'aide d'un œuf de poule. Essayez de le faire rouler sur une surface lisse et observez la manière dont il se déplace. Regardez ce qui se passe lorsqu'on fait flotter un œuf dans l'eau (les œufs les plus frais coulent au fond). Cassez un œuf et identifiez ses différentes parties. Faites bouillir un œuf jusqu'à ce qu'il soit dur et discutez de la manière dont la chaleur a changé son contenu.

🐔 Préparez-vous à répondre à des questions sur le cycle de vie humain. Beaucoup de livres sur ce sujet offrent des explications conçues pour les jeunes enfants.

🐔 Aidez l'enfant à comprendre le cycle de vie en lui parlant de sa famille. Dessiner des arbres généalogiques simples, regarder des albums de photos de famille et partager des histoires familiales avec les grands-parents sont des moyens amusants de susciter l'intérêt des jeunes enfants.